folio benjamin

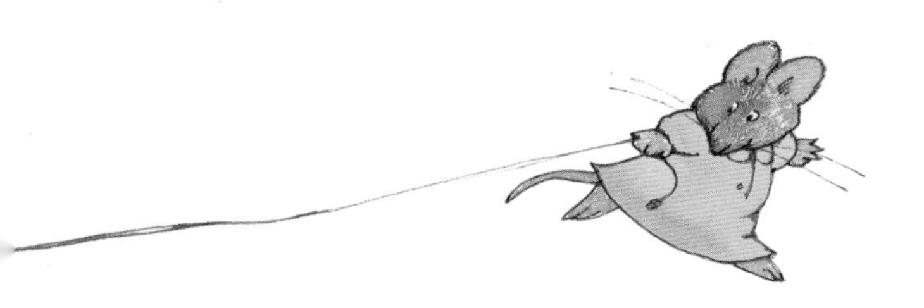

Pour Jean Read

TRADUCTION DE MARIE SAINT-DIZIER ET RAYMOND FARRÉ

ISBN : 2-07-054809-0
Titre original : *Noisy Nora*
Publié avec l'autorisation de Viking Children's Books,
New York, membre de Penguin Putnam Inc.
© Rosemary Wells, 1973, pour le texte,
1997, pour les illustrations
© Gallimard Jeunesse, 1980, pour la traduction française,
2001, pour la présente édition

Numéro d'édition : 146437
Loi n° 46-956 du 16 juillet 1949
sur les publications destinées à la jeunesse
1er dépôt légal : octobre 2001
Dépôt légal : août 2006
Imprimé en Italie par Editoriale Lloyd
Réalisation Octavo

Rosemary Wells

Chut, chut, Charlotte !

RETIRÉ DE LA COLLECTION UNIVERSELLE
Bibliothèque et Archives nationales du Québec

GALLIMARD JEUNESSE

Bruno, le petit dernier,
Mange toujours le premier !

Et Cathie, qui est l'aînée,
Passe son temps à jouer !

Et Charlotte, pendant ce temps ?
Pendant ce temps, Charlotte attend.

Ah, puisque c'est comme ça,
On va faire attention à moi !

Et vlan ! la porte claque.
Charlotte passe à l'attaque !

Elle hurle, crie, piétine,
Jette des billes dans la cuisine.

Papa et maman chuchotent :
Chut, chut, Charlotte !

Et la grande Cathie s'écrie :
Charlotte, que tu es sotte !

Bruno prend des bains
Du soir au matin.

Cathie prépare des gâteaux,
Des brioches, des croissants chauds.

Papa frotte et ravigote
Le petit Bruno qui grelotte.

Charlotte attaque un lampadaire,
Les chaises valsent par terre.

Papa et maman chuchotent :
Chut, chut, Charlotte !

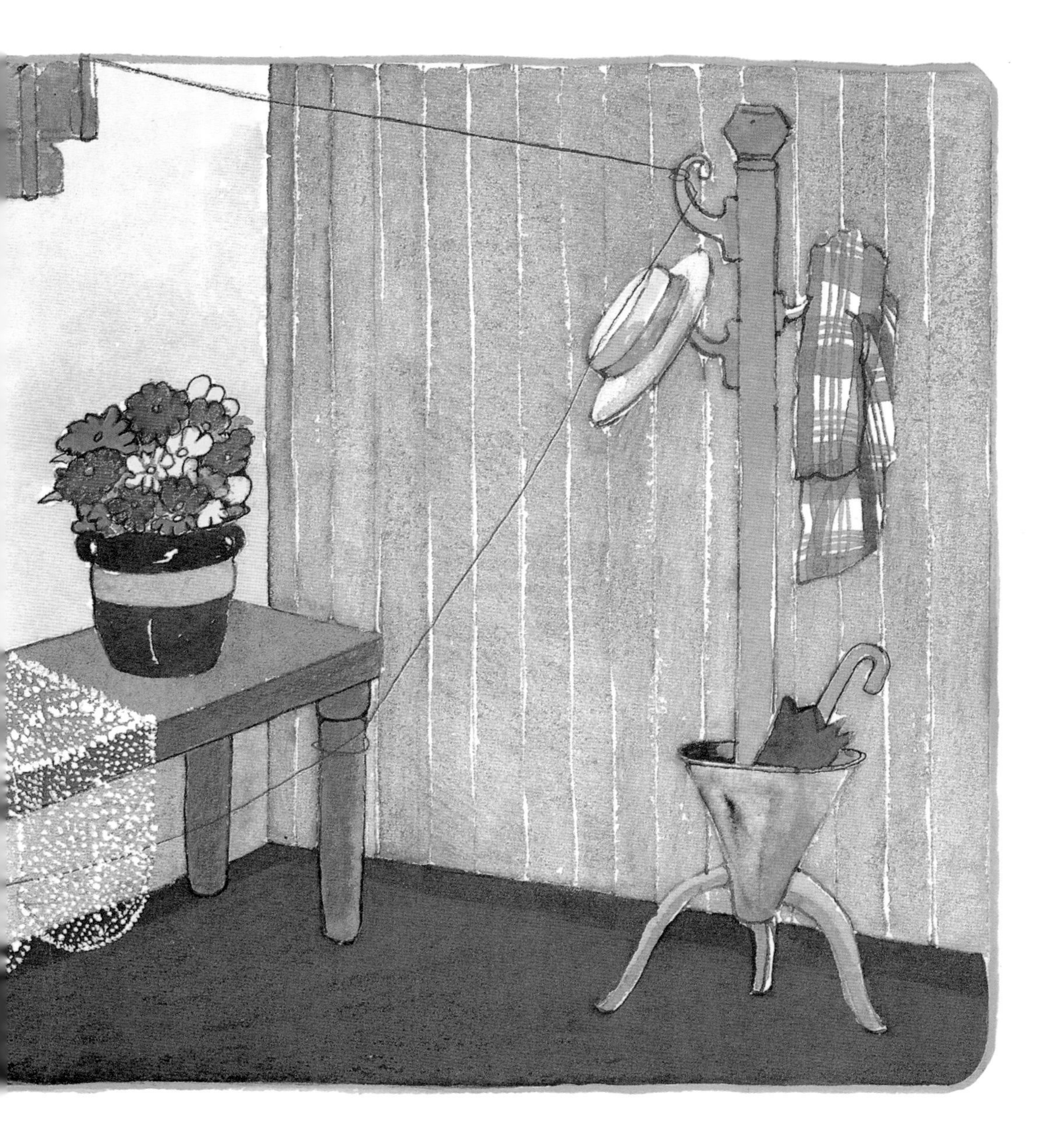

Et la grande Cathie s'écrie :
Charlotte, que tu es sotte !

Le cerf-volant du bébé
Dégringole dans l'escalier.

Et Charlotte, pendant ce temps ?
Pendant ce temps, Charlotte attend.

Quand on est le plus petit,
On vient vous border tous les soirs.

Quand on est grand comme Cathie,
On vous aide dans vos devoirs.

Quand on n'est plus le tout-petit,
On ne vous berce plus la nuit.

Je m'en vais ! crie Charlotte.
Et je ne reviendrai jamais !

Soudain, plus de bruit,
Charlotte est partie.

Papa et maman, éperdus :
«Où est-elle ? On ne l'entend plus !»

Et la grande Cathie sanglote :
Il faut retrouver Charlotte !

Du grenier à la salle de bains,
On la cherche dans tous les coins.

De la cave au jardin,
On l'appelle en vain.

Papa fouille la corbeille à papier.
Pourquoi pas ? On ne sait jamais…

Un placard s'ouvre à grand fracas.
Qui avait songé à chercher là ?

Charlotte surgit, amusée :
Ah, ah ! J'étais bien cachée !

folio benjamin

Si tu as aimé cette histoire
de Rosemary Wells, découvre aussi :

Et dans la même collection :

R.C.L.
SEP. 2007
AA11